PEINTURE AU POCHOIR

Ray Gibson

Rédaction : Fiona Watt • Maquette : Robert Walster

Illustrations : John Woodcock • Photographie : Howard Allman
Directrice de la collection : Cheryl Evans
Traduction : Christine Sherman

Avec nos remerciements à Freddy Hopf et à Red Madrell

Matériel de pochoir fourni par The Stencil Store Company Limited, Chorleywood, Grande-Bretagne

Sommaire

Pour commencer

Un pochoir est un dessin ou un motif découpé dans du carton ou du plastique pour fabriquer une « plaque à pochoir ». De l'encre ou de la peinture sont ensuite appliquées sur la forme évidée, qui apparaît en plein sur la surface une fois le pochoir retiré. Tu peux décorer de nombreux types de matériaux avec cette technique, et ce livre te fournit des modèles de pochoir à recopier. Tu dois aussi te procurer le matériel ci-après et connaître quelques techniques de base.

Pochons

Des pinceaux à pochoir, ou pochons, sont vendus dans les papeteries. Un pochon de petite taille est suffisant pour ce livre. N'oublie pas de le rincer après chaque utilisation.

Les magasins de travaux manuels vendent aussi de la peinture à pochoir spéciale.

Tu peux peindre ton pochoir avec un chiffon ou une éponge. La texture obtenue est ainsi plus variée.

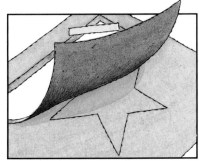

Peintures à pochoir

Tu dois choisir une peinture à séchage rapide : de la peinture pour tissu ou acrylique pour les tissus, de la peinture à céramique pour la vaisselle, et de l'acrylique ou de la gouache pour le papier. La peinture acrylique est assez chère.

Transfert des motifs

1. Commence par tracer le contour du modèle avec soin sur du papier calque. Sers-toi d'un crayon bien taillé ou d'un feutre à pointe fine.

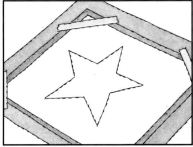

2. Avec du cache adhésif, fixe du papier carbone, le côté encré vers le bas, sur du carton à pochoir. Fixe le calque dessus avec des bouts de cache adhésif.

3. Repasse sur les lignes du dessin avec un stylo à bille, en appuyant bien. Puis, enlève le cache adhésif, le calque et le papier carbone.

Plaques à pochoir

La plupart des projets de ce livre conseillent d'utiliser du carton à pochoir. C'est un carton huilé, vendu dans les papeteries. Tu peux aussi te servir des matériaux ci-contre. Les parties évidées sont appelées des fenêtres, et les parties entre chaque fenêtre des ponts.

Des pastels à pochoir permettent un effet plus nuancé. Voir pages 14 et 15.

Ce pochoir est découpé dans du carton huilé spécial.

Les parties évidées du papillon sont appelées des fenêtres.

Les parties entre les ailes, la tête et le corps sont appelées des ponts.

Le plastique adhésif transparent utilisé pour couvrir les livres est parfait pour les surfaces courbes et les tissus.

Un papier épais peut aussi convenir, mais la peinture risque de le ramollir rapidement.

Certains magasins vendent un plastique spécial, le rhodoïd. Il est assez cher, mais très pratique.

Pour faire durer le carton mince plus longtemps, frotte-le des deux côtés avec un chiffon imbibé d'huile alimentaire.

Découpage

Glisse toujours une surface de coupe sous le pochoir avant d'utiliser ton cutter, par exemple du carton très épais ou une pile de vieux magazines.

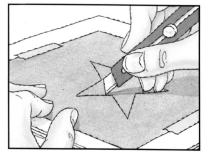

Sers-toi d'un cutter bien tranchant, en vente dans les papeteries. Fais très attention et coupe toujours dans la direction opposée des doigts.

Évide chaque forme en allant de la plus petite à la plus grande. Ne coupe pas les courbes d'un seul coup, mais plutôt par de petites entailles successives.

La peinture au pochoir

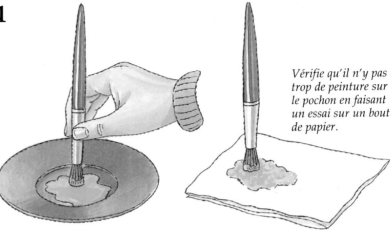

Vérifie qu'il n'y pas trop de peinture sur le pochon en faisant un essai sur un bout de papier.

1. Avec des petits morceaux de cache adhésif, fixe solidement ton pochoir sur la surface à décorer.

2. Verse un peu de peinture dans une soucoupe. Trempe le bout du pochon dans la peinture, en le tenant droit.

3. Il te faut très peu de peinture. Essuie donc ton pochon en le tapotant sur un morceau d'essuie-tout.

Repasse sur le pochoir pour obtenir une couleur plus foncée.

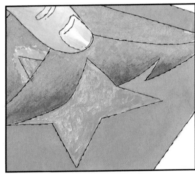

4. Tapote le pochon fermement le long des bords du pochoir. Peins le centre une fois les côtés terminés.

5. La peinture sèche vite, mais attends un peu avant d'enlever le cache adhésif. Puis soulève le pochoir avec précaution.

6. Nettoie bien le pochon et laisse-le sécher. Essuie et sèche le pochoir, et range-le à plat dans une enveloppe.

Peins les bords du pochoir avant les parties centrales.

N'oublie pas d'essuyer l'excès de peinture sur de l'essuie-tout.

Idées et conseils

Fenêtre

Si tu te trompes en découpant le pochoir, colle du cache adhésif sur le trait de coupe, devant et derrière, et coupe le cache adhésif qui dépasse.

Le cache adhésif se décolle facilement.

Des bavures peuvent aussi apparaître si le pochoir bouge pendant que tu l'utilises. Fixe-le solidement avec du cache adhésif sur la surface à décorer.

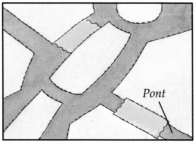

Pont

Pour réparer un pont, colle deux morceaux de cache adhésif l'un sur l'autre de chaque côté du pochoir, en égalisant avec des ciseaux.

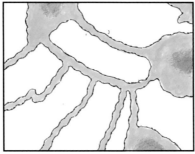

Lorsqu'un pochoir sert plusieurs fois, une croûte de peinture se forme sur ses bords. Nettoie-le des deux côtés avec un chiffon humide. Laisse bien sécher.

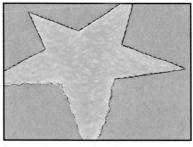

Si les bords du dessin ne sont pas assez nets, il y a trop de peinture sur ton pochon. Celui-ci doit être presque sec. Essuie-le bien avant de t'en servir.

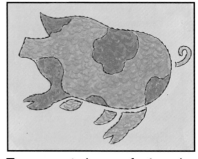

Tu peux peindre une fenêtre de plusieurs couleurs différentes. Attends que la première couche soit sèche avant d'ajouter d'autres teintes.

Mélange différentes couleurs pour obtenir la teinte désirée.

La couleur choisie peut ne pas ressortir de la même façon sur un fond clair ou foncé. Fais un essai de peinture avant de commencer.

Pour assombrir une partie du dessin, repasse dessus plusieurs fois. Ne mets pas trop de peinture sur le pochon, sinon les bords du dessin ne seront pas nets.

Carte de vœux étoilée

Il te faut : du carton à pochoir, un pochon, 20 x 14 cm de papier fort bleu, du cache adhésif, de la gouache ou de la peinture acrylique, une soucoupe, de l'essuie-tout, du papier calque, du papier carbone, un stylo, un feutre fin, un bâton de colle.

Pour une carte carrée, rajoute des étoiles autour du motif principal.

Un motif doré ou argenté rend bien sur du papier de couleur sombre. Monte le pochoir sur du papier doré, puis colle-le sur la carte.

1. Pose du papier calque sur le modèle de la page 32 et fixe-le avec du cache adhésif. Trace le dessin avec un feutre fin.

Peins des étoiles au pochoir des deux côtés de l'enveloppe.

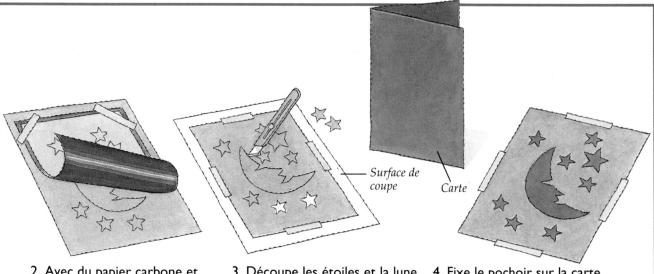

Surface de coupe

Carte

2. Avec du papier carbone et un stylo, reporte le dessin de la lune et des étoiles sur le carton (voir page 2).

3. Découpe les étoiles et la lune avec un cutter. Plie le papier de la carte en deux, dans le sens de la largeur.

4. Fixe le pochoir sur la carte avec le cache, directement sur le plan de travail. Les fenêtres ne doivent pas dépasser du bord.

5. Trempe le bout du pochon dans la peinture. Tapote sur l'essuie-tout. Peins le contour de la lune, puis l'intérieur.

6. Peins les étoiles, en appliquant soigneusement le pochon sur les parties en pointe. Laisse sécher.

7. Enlève le cache adhésif et soulève doucement le pochoir de la carte. Essuie-le des deux côtés avant de le réutiliser.

Méthodes de peinture

Pour donner un effet de volume, peins le contour de la lune, puis éclaircis graduellement vers l'intérieur. Ne peins pas le centre.

De l'essuie-tout roulé en boule ou une éponge imbibés de peinture permettent d'obtenir un effet texturé. N'oublie pas d'essuyer l'excès de peinture.

Avec un morceau d'essuie-tout, applique de la colle blanche sur le pochoir. Soulève le carton et saupoudre de paillettes. Fais tomber l'excès.

Décorer la vaisselle

Procure-toi de la peinture à céramique dans un magasin de travaux manuels. Tu devras probablement passer ton œuvre au four pour « fixer » son décor.

Il te faut : de la peinture à céramique d'une ou deux couleurs, une tasse en céramique non décorée, un feutre noir, une règle, du plastique adhésif transparent, du cache adhésif, des ciseaux, un stylo, une soucoupe, de l'essuie-tout, une éponge, du papier.

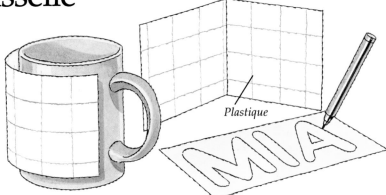

Plastique

1. Découpe un morceau de plastique adhésif de la même hauteur que la tasse et assez long pour aller d'un côté à l'autre de l'anse.

2. Avec le feutre, écris un nom en grosses lettres sur le papier, mais assez petit pour tenir sur le plastique. Plie celui-ci en deux dans le sens de la largeur.

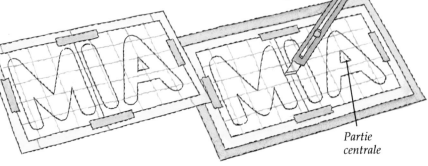

Partie centrale

3. Rabats les côtés du papier, le long de la première et de la dernière lettres. Puis plie en deux. Ceci te donne la ligne médiane du nom.

4. Fixe le plastique sur les lettres avec le cache adhésif, en alignant les plis centraux du plastique et du papier. Retrace les lettres avec un stylo à bille.

5. Place le plastique sur une surface de coupe. Découpe toutes les lettres avec un cutter. Conserve les parties centrales pour plus tard (voir à droite).

Décolle le plastique du support.

Rajoute les parties centrales.

Avant de peindre, recouvre les vides de cache adhésif.

6. Découpe les lettres pour les coller plus facilement une par une sur la tasse. Tourne l'anse vers toi, et commence par la droite avec la première lettre.

7. Trempe l'éponge dans une soucoupe remplie de peinture. Essuie-la, puis peins les lettres en tamponnant. Laisse sécher avant d'ajouter une autre couleur.

8. Une fois que la peinture est sèche, décolle le plastique avec précaution. Suis le mode d'emploi de la peinture pour la fixer.

Sers-toi d'un petit pochoir pour le contour de ce bol.

Tu peux aussi utiliser les autres modèles de ce livre. Le chat et la lune se trouvent à la page 32.

Parties centrales des lettres

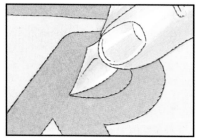

Découpe les parties centrales des lettres comme A, D et O, avant de couper le contour. Remets-les en place pour compléter la lettre.

Modèles de lettres

ABCD
EFGHI
JKLMN
OPQR
STUV
WXYZ

Chaussettes et chaussures

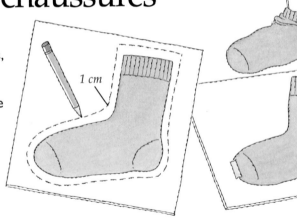

Il te faut : une paire de chaussettes, du carton, du carton à pochoir, du cache adhésif, de l'essuie-tout, de la peinture acrylique ou pour tissu, une soucoupe, des ciseaux, du papier calque, un pochon, un crayon, du papier carbone.

La peinture pour tissu doit être repassée avec un fer chaud pour être « fixée ». Utilise donc des chaussettes en coton. Les chaussettes en synthétique ne conviennent que pour la peinture acrylique.

1. Pose une chaussette sur le carton et trace son contour, en laissant une marge de 1 cm. Découpe.

2. Glisse la forme obtenue dans la chaussette pour l'étirer. Fixe le tout sur un autre morceau de carton avec du cache adhésif.

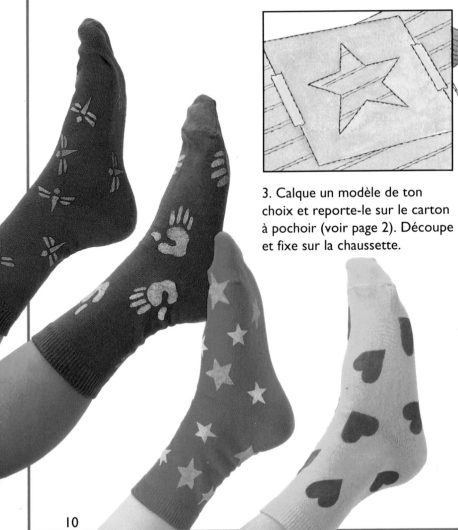

Peins en tapotant de bas en haut.

3. Calque un modèle de ton choix et reporte-le sur le carton à pochoir (voir page 2). Découpe et fixe sur la chaussette.

4. Verse de la peinture dans la soucoupe. Imbibe ton pochon et essuie-le. Peins en allant des bords vers le centre.

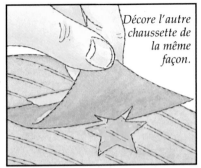

Décore l'autre chaussette de la même façon.

5. Repasse sur la peinture pour obtenir une couleur plus foncée. Laisse sécher, enlève le pochoir et recommence plus loin.

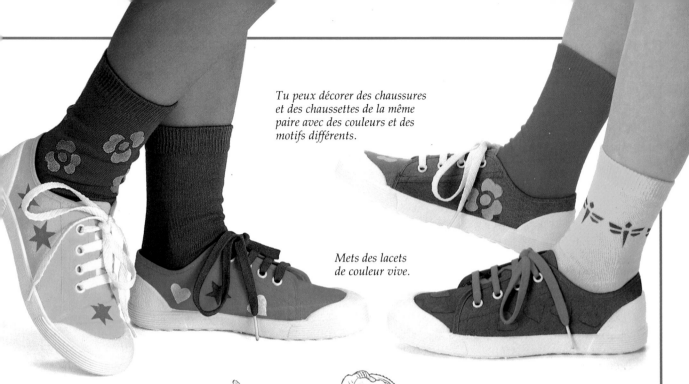

Tu peux décorer des chaussures et des chaussettes de la même paire avec des couleurs et des motifs différents.

Mets des lacets de couleur vive.

Chaussures de toile

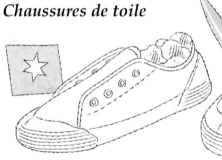

Nettoie le caoutchouc et les œillets avec un chiffon humide.

Petits modèles à recopier

1. Trace un modèle sur du carton à pochoir et découpe. Bourre les chaussures de toile de papier journal.

2. Tu peux peindre tes chaussures de couleur vive avec de la peinture acrylique. Laisse sécher avant de décorer.

3. Fixe le pochoir sur la chaussure avec le cache adhésif. Peins avec la peinture acrylique, comme pour les chaussettes.

4. Enlève le pochoir de la chaussure. Laisse sécher. Nettoie le pochoir avant de le réutiliser.

Un cochon sur ton T-shirt

Il te faut : du carton à pochoir, un cutter, une règle, du cache adhésif, de la peinture acrylique ou pour tissu de diverses couleurs, y compris blanc, un pochon, des bouts de chiffon, plusieurs vieilles soucoupes pour mélanger la peinture, des épingles, un T-shirt en coton propre et repassé, un grand carton, plus large que le T-shirt de 1 cm, du papier, de l'essuie-tout.

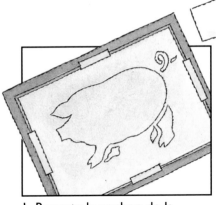

L'épingle ne doit piquer que le devant du T-shirt.

1. Reporte le cochon de la page 31 sur le carton à pochoir. Dessine également le rectangle autour. Découpe le pochoir et la bordure.

2. Plie le T-shirt exactement en deux. Marque le milieu du tissu en piquant une épingle en haut et en bas du pli.

Épingle

Épingle

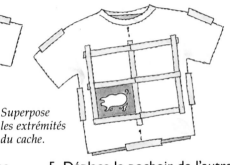

Superpose les extrémités du cache.

3. Ouvre le T-shirt et glisse le carton à l'intérieur. Veille à ce que le tissu soit bien tendu. Fixe le T-shirt sur ton plan de travail avec du cache adhésif.

4. Colle une bande de cache adhésif au centre du T-shirt, en l'alignant avec les épingles. Pose le pochoir près de la bande. Mets trois bouts de cache autour.

5. Déplace le pochoir de l'autre côté de la bande centrale et ajoute trois bandes de cache autour. Fais deux autres cases identiques en dessous.

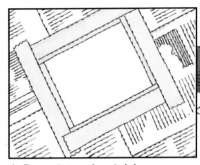

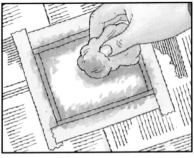

6. Pour éviter les éclaboussures de peinture sur le T-shirt, fixe avec du cache adhésif des bouts de papier tout autour de la case supérieure gauche.

7. Dans une soucoupe, mélange de la peinture avec un peu de blanc. Trempe un tampon de chiffon propre dans la soucoupe. Tapote sur l'essuie-tout.

8. Peins toute la case. Enlève le papier et recouvre le tissu autour de la case suivante. Peins dans une autre teinte. Répète pour les autres cases.

Peinture du cochon

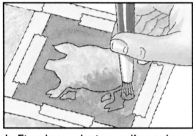

1. Fixe le pochoir sur l'une des cases avec du cache adhésif. Avec le pochon, peins le cochon dans une teinte plus foncée. Repasse plusieurs fois (voir page 5).

2. Enlève le pochoir avec précaution et nettoie-le. Répète avec les autres cases. Enlève le cache adhésif lorsque tout est sec.

Le modèle du chat se trouve à la page 32.

Pour un T-shirt de petite taille, peins un seul cochon au centre.

Peinture du cadre

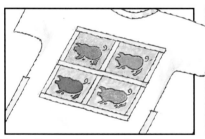

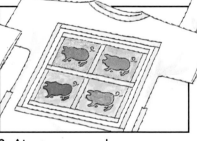

1. Colle des bandes de cache adhésif sur l'extérieur des quatre cases, en suivant bien le bord. Égalise les coins, qui doivent se joindre.

2. Ajoute encore deux rangs de cache adhésif tout autour, en alignant bien les bords. Décolle le cache adhésif central pour laisser un vide.

3. Avec du cache, fixe du papier autour et au milieu pour protéger le T-shirt. Peins avec un chiffon trempé dans de la peinture. Laisse sécher. Enlève le cache.

13

À la conquête de l'espace

Tu peux peindre cette scène au pochoir sur le mur de ta chambre (avec la permission de tes parents, bien sûr) ou, si tu préfères, sur une grande feuille de papier que tu peux afficher ensuite. Si tu ne trouves pas de pastels à pochoir, procure-toi de la gouache ou de la peinture à pochoir. Compose ton décor avec soin avant de commencer, afin d'être sûr de l'effet que tu veux obtenir.

Il te faut : des pastels à pochoir, un jaune et un blanc, du carton à pochoir, un cutter, du papier calque, un crayon, du papier carbone, du cache adhésif, de l'essuie-tout, deux pochons. Si tu n'as qu'un pochon, tu devras le nettoyer entre chaque couleur. Pour cela, trempe le pochon dans du white-spirit, puis lave-le à l'eau et au savon et sèche-le bien.

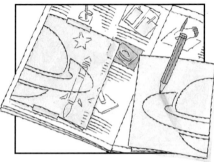

1. Plie le papier calque en deux. Calque le modèle ci-contre, puis repasse sur les lignes de l'autre côté du calque pour compléter le dessin.

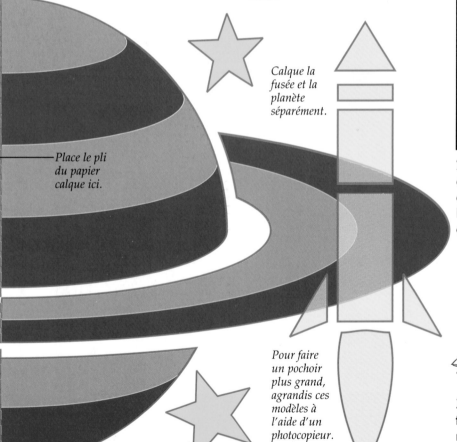

Place le pli du papier calque ici.

Calque la fusée et la planète séparément.

Pour faire un pochoir plus grand, agrandis ces modèles à l'aide d'un photocopieur.

2. Avec du papier carbone et un crayon pointu, reporte ton dessin sur le carton et découpe. Fixe le pochoir au mur avec du cache adhésif.

3. Frotte le pastel jaune très fort contre de l'essuie-tout replié pour briser le sceau. Répète à un autre endroit pour déposer du pastel.

Découpe des bandes incurvées pour faire la queue d'une étoile filante.

4. Tiens le pochon droit et recouvre le bout des poils de pastel, en effectuant un mouvement circulaire sur l'essuie-tout.

Invente ta propre fusée, en traçant le contour de divers objets.

5. Colore les rayures jaunes, toujours avec un mouvement circulaire. Remets du pastel et repasse sur le dessin pour obtenir une teinte plus foncée.

Un mur clair permet des effets de pastel plus délicats.

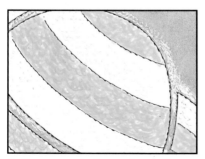

6. Recouvre le bout des poils d'un pochon propre de pastel blanc. Colore les autres rayures. Tu devras repasser plusieurs fois si le mur est de couleur sombre.

7. Avec le crayon jaune, repasse sur les côtés de la planète et de l'anneau pour donner un effet de volume, ou utilise un jaune plus foncé ou de l'orange.

8. Enlève le cache adhésif et le carton à pochoir. Avant de toucher ton dessin, laisse le pastel sécher complètement pendant un ou deux jours.

Comment créer tes propres pochoirs

Ces pages montrent comment créer un pochoir à partir d'un dessin ou d'une photo, et aussi comment peindre des motifs de plusieurs couleurs.

Il te faut : une image simple aux contours nets, du papier calque, un crayon, du cache adhésif, un stylo, un cutter, une soucoupe, de l'essuie-tout, un pochon ou une éponge, du papier carbone, de la peinture à pochoir, un carton à pochoir, une gomme.

1. Fixe le papier calque sur le dessin avec du cache adhésif. Dessine les principaux contours avec un crayon pointu. Évite de copier les détails du dessin.

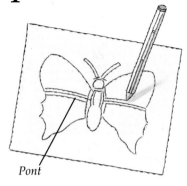

Pont

Enlève le cache adhésif et le papier calque. Dessine les ponts entre les formes principales. Ils ne doivent pas être trop étroits.

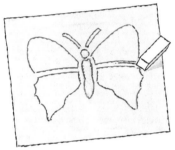

3. Avec le stylo, repasse soigneusement autour de chaque forme principale du papillon. Efface les traits de crayon sur les ponts.

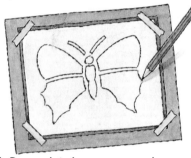

4. Reproduis les contours du dessin sur un autre calque. Avec du papier carbone et un crayon pointu, reporte le dessin sur un carton à pochoir.

5. Découpe le pochoir avec un cutter. Peins avec un pochon ou une éponge. Suis les étapes ci-dessous pour rajouter d'autres couleurs.

Pochoirs multicolores

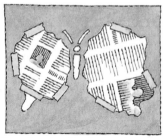

1. Protège les fenêtres des éclaboussures de peinture en les recouvrant de cache adhésif ou de papier journal, selon leur taille.

2. Peins les fenêtres découvertes d'une couleur. Laisse sécher. Fais un trait de repère léger au crayon à chaque coin du carton.

Aligne les coins avec les traits de repère.

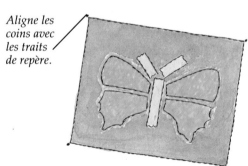

3. Recouvre les fenêtres peintes. Remets le pochoir en place en t'aidant des marques que tu as faites. Fixe et peins. Laisse sécher et enlève.

Sweats et pantalons

Tu peux décorer tes vêtements au pochoir, mais demande d'abord la permission à tes parents.
Il te faut : de l'essuie-tout, une éponge, de la peinture acrylique, du plastique adhésif transparent, une vieille soucoupe, du carton.

1. Découpe un morceau de carton un peu plus large que ton vêtement. Glisse-le à l'intérieur et fixe sur le plan de travail.

2. Dessine un motif au verso du plastique adhésif. Découpe. Décolle le papier formant support et applique le plastique sur le tissu.

3. Trempe une éponge dans une soucoupe remplie de peinture. Tapote sur de l'essuie-tout. Peins. Enlève le pochoir et laisse sécher.

Repasse toujours les vêtements à l'envers après les avoir lavés.

Regarde page 11 comment décorer les chaussures.

17

Bonhomme de neige

Il te faut : du carton à pochoir, du papier calque, du papier carbone, un cutter, du cache adhésif, une soucoupe, de la gouache blanche, une éponge, de l'essuie-tout.

Pour les flocons de neige : une grande assiette, du papier blanc, des ciseaux, une règle.

Demande la permission avant de peindre sur les fenêtres. La gouache peut être enlevée avec de l'eau et du savon.

1. Calque le bonhomme de neige de la page 31 et reporte ton dessin sur du carton à pochoir. Découpe avec un cutter.

2. Vérifie que la fenêtre est propre et sèche. Fixe le pochoir dessus. Le cache adhésif ne doit pas recouvrir les trous.

3. Verse de la peinture blanche dans la soucoupe. Pour que ton éponge soit bien sèche, presse-la à l'intérieur d'un chiffon.

L'éponge permet des effets plus doux.

4. Trempe l'éponge dans la peinture. Essuie l'excès de peinture, puis applique sur le pochoir en tapotant.

Une fois la peinture sèche, dessine un visage au crayon.

5. Laisse le pochoir en place pendant quelques secondes. Puis enlève-le après avoir délicatement ôté le cache.

Frise

Marque la position du pochoir avant de l'enlever.

Cache adhésif

Position précédente du pochoir

1. Colle une bande de cache adhésif le long de la fenêtre. Fixe le pochoir au centre. Peins avec une éponge.

2. Marque les coins du pochoir sur le cache. Déplace le pochoir et aligne-le avec l'un des traits de repère. Peins.

3. Lorsque tu atteins le châssis, reviens au milieu et peins l'autre moitié de la fenêtre.

Autres couleurs

Ajoute d'autres couleurs, en couvrant les trous que tu ne veux pas peindre avec un bout de papier (voir page 16).

Pour un paysage enneigé, peins l'arbre en vert, et lorsqu'il est sec, rajoute quelques touches de peinture blanche.

Flocons de neige

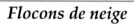
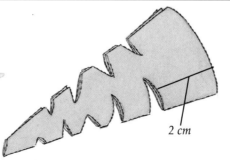
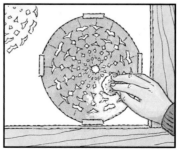

2 cm

1. Trace le contour d'une assiette sur du papier mince. Découpe et plie en huit, en marquant bien les plis.

2. En laissant 2 cm en bordure, découpe des motifs géométriques. Ouvre, fixe sur la fenêtre et peins avec une éponge.

3. Déplace le pochoir et peins de nouveau. Le papier se détrempe rapidement et tu ne peux pas l'utiliser trop de fois.

Coussin brodé à motifs aquatiques

Il te faut : un coussin de mousse de 35 cm de côté, deux carrés de coton de 40 cm de côté, un carré de ouatine moyenne de 40 cm de côté, du rhodoïd (voir page 3), un stylo à encre indélébile, un pochon, un cutter, une aiguille, des épingles, des ciseaux, du fil et une aiguille à broder, du fil à coudre, du cache adhésif, un vieux chiffon, de l'essuie-tout, une règle, de la peinture acrylique ou pour tissu, du carton épais.

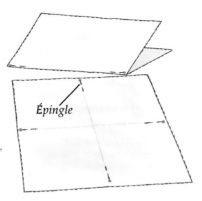

Épingle

1. Plie un carré de coton en deux. Marque le pli avec deux épingles. Ouvre et plie dans l'autre sens. Mets deux épingles. Ouvre.

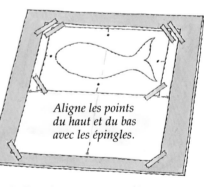

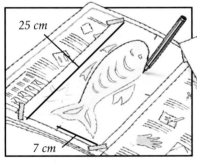

25 cm

7 cm

2. Découpe deux morceaux de rhodoïd de 25 x 14 cm. Marque le milieu de chaque bord. Fixe un morceau sur le poisson en page 22. Aligne traits et points.

3. Trace le contour bleu du poisson avec le stylo et marque les points. Retire le cache adhésif et découpe la forme. C'est le pochoir **A**.

Les points servent à aligner les pochoirs.

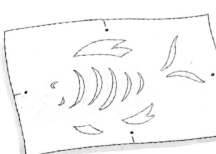

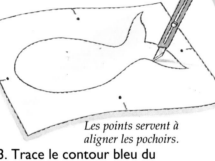

Aligne les points du haut et du bas avec les épingles.

4. Fixe l'autre morceau de rhodoïd. Trace le contour de tous les autres détails, ainsi que les points. Enlève le cache. Découpe. C'est le pochoir **B**.

5. Avec le cache adhésif, fixe de nouveau le pochoir **B** sur le modèle. Trace maintenant le contour du poisson, mais sans le découper.

6. Fixe le coton épinglé à plat sur le carton. Fixe le pochoir **A**. Aligne le bas du pochoir avec les épingles des côtés.

Avant d'assembler, tu peux peindre des étoiles de mer ou des coquillages au pochoir sur l'envers du coussin.

Compose ton décor sur une feuille de papier avant de commencer.

Si le tissu est de couleur vive, fais un essai de peinture sur des chutes.

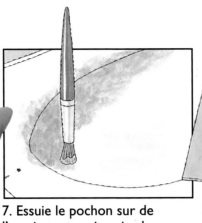

7. Essuie le pochon sur de l'essuie-tout, puis peins le contour du poisson. Pour un effet de volume, éclaircis graduellement vers le milieu.

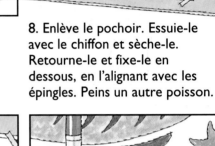

8. Enlève le pochoir. Essuie-le avec le chiffon et sèche-le. Retourne-le et fixe-le en dessous, en l'alignant avec les épingles. Peins un autre poisson.

9. Fixe le pochoir **B** sur le premier poisson, en alignant les contours. Peins les détails en repassant plusieurs fois pour qu'ils soient bien foncés.

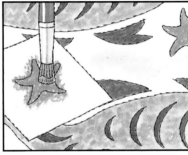

10. Reporte l'étoile de mer et le coquillage sur du rhodoïd. Découpe. Peins autour du poisson. Repasse au fer si tu te sers de peinture pour tissu.

Pour broder le coussin

1. Pose le carré décoré sur le carré de ouatine, en alignant soigneusement les coins. Assemble les deux épaisseurs avec des épingles.

2. Enfile du fil à coudre sur une aiguille et fais un nœud. Couds autour du carré, à environ 2 cm du bord. Fais de grands points à bâti.

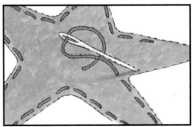

3. Avec du fil à broder, couds des points de 5 mm, en suivant le contour des coquillages, des étoiles de mer et des poissons. Pique bien dans les deux tissus.

Suite à la page suivante 21

Coussin brodé : suite

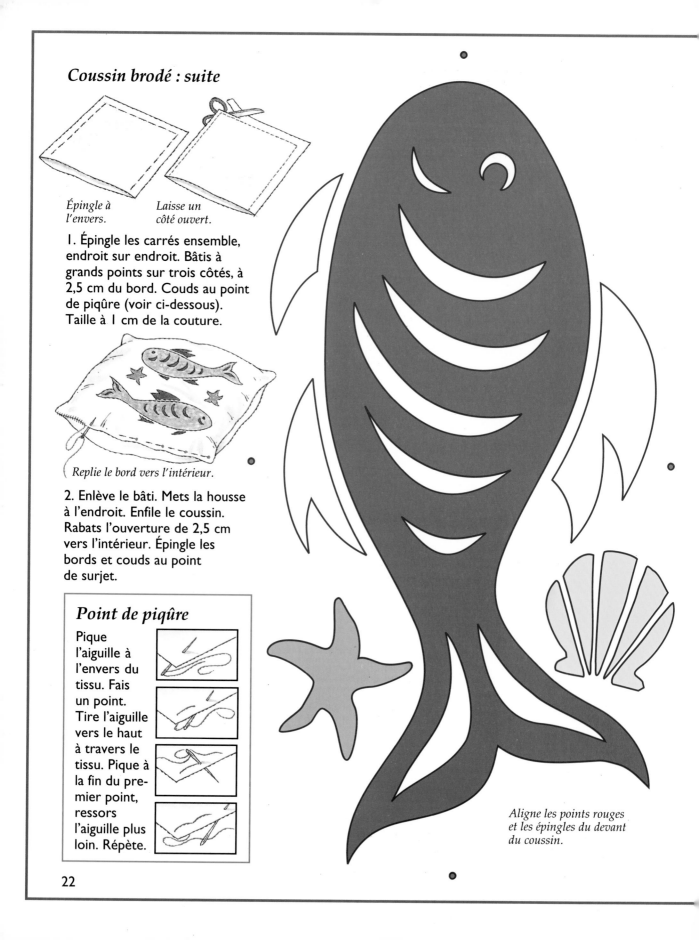

Épingle à l'envers.

Laisse un côté ouvert.

1. Épingle les carrés ensemble, endroit sur endroit. Bâtis à grands points sur trois côtés, à 2,5 cm du bord. Couds au point de piqûre (voir ci-dessous). Taille à 1 cm de la couture.

Replie le bord vers l'intérieur.

2. Enlève le bâti. Mets la housse à l'endroit. Enfile le coussin. Rabats l'ouverture de 2,5 cm vers l'intérieur. Épingle les bords et couds au point de surjet.

Point de piqûre

Pique l'aiguille à l'envers du tissu. Fais un point. Tire l'aiguille vers le haut à travers le tissu. Pique à la fin du premier point, ressors l'aiguille plus loin. Répète.

Aligne les points rouges et les épingles du devant du coussin.

Pochoirs-tatouages

Il te faut : des crèmes de maquillage à base d'eau (dans les magasins de jouets), du papier calque, une petite éponge, un cutter, du plastique adhésif transparent, du papier carbone, un stylo, un chiffon propre, du cache adhésif.

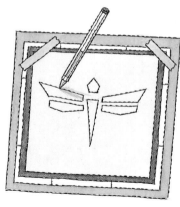

1. Calque le modèle. Avec le papier carbone, reporte ce dessin sur l'envers en papier du plastique adhésif.

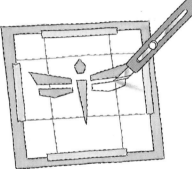

2. Fixe le plastique sur une surface de coupe. Sers-toi d'un cutter pour découper le contour avec soin.

3. Imbibe l'éponge d'eau, puis enveloppe-la dans le chiffon. Essore en pressant très fort.

Les modèles de la chauve-souris et du crâne sont en page 31.

4. Enlève délicatement le support du plastique adhésif. Colle le pochoir sur un rectangle de peau propre et sec. Lisse bien.

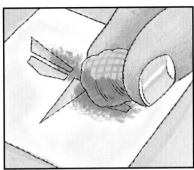

5. Frotte un côté de l'éponge dans une crème de maquillage. Applique sur le pochoir, en repassant plusieurs fois.

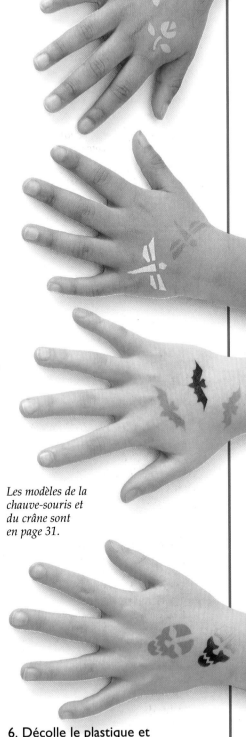

6. Décolle le plastique et laisse le tatouage sécher. Pour l'enlever, lave avec de l'eau et du savon.

Papier cadeau

Il te faut : du carton à pochoir, du papier carbone, un stylo, du cache adhésif, un cutter, de la peinture à pochoir ou acrylique, un pochon, une vieille soucoupe, de l'essuie-tout, une grande feuille de papier : papier de soie, papier cadeau uni ou papier kraft.

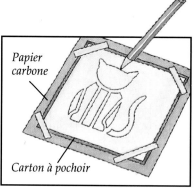

Papier carbone

Carton à pochoir

1. Calque le modèle du chat de la page 32. Avec le papier carbone et un stylo, reporte le dessin sur le carton à pochoir (voir page 2).

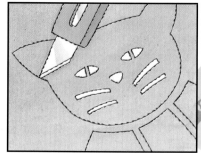

2. Sur une surface de coupe, découpe les yeux, le nez et les moustaches, puis la tête. Mets cette partie de côté. Découpe le corps du chat.

Double le papier s'il s'agit de papier de soie.

Sèche le pochon sur de l'essuie-tout.

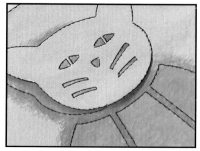

3. Avec du cache adhésif, fixe le papier que tu veux décorer sur le plan de travail bien sec. Fixe le grand pochoir du chat sur un coin du papier.

4. Verse de la peinture dans une soucoupe. Peins le contour avec un pochon très sec (pour ne pas détremper le papier), puis le milieu.

5. Laisse sécher et replace la tête en position sur le dessin. Peins les yeux, les moustaches ainsi que le nez d'une autre couleur.

Chats bariolés

Peins des rayures de différentes couleurs.

Une fois la peinture sèche, ajoute des taches d'une autre couleur.

Repasse sur les oreilles, la queue, les pattes et les joues pour les mettre en valeur.

Du papier doré ou argenté, décoré de motifs de couleur sombre donnera une impression de luxe.

Tu peux fabriquer une carte assortie au papier, en découpant un petit carton et en ajoutant un motif au pochoir. Perce et noue avec un ruban.

Efface les traits de crayon quand tu as fini.

Pour décorer toute la feuille, laisse sécher, déplace le pochoir vers une autre position, de préférence en biais ou à l'envers par rapport au premier dessin.

Pour peindre une frise de chats, trace des traits au crayon tous les 12 cm. Suis les instructions de la page 18 sur la frise de bonhommes de neige.

Calque la petite souris en page 32. Reporte sur du carton à pochoir et découpe. Peins des souris dans les espaces vides entre les chats.

Classeur et sac de plage

Le classeur est décoré au pochoir inversé : la peinture est appliquée autour d'une forme découpée, au lieu de colorer une fenêtre évidée.

Il te faut : un classeur de 24 x 32 cm (fermé), un crayon, une soucoupe, papier calque et papier carbone, une brosse à dents, ciseaux et cutter, du cache adhésif, du papier épais, de la peinture acrylique.

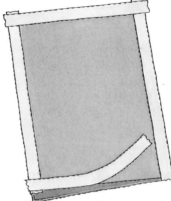

1. Colle des bandes de cache adhésif tout autour du devant du classeur, en superposant dans les coins.

2. Calque le modèle de fond marin de la page 32. Avec le carbone, reporte le dessin sur du papier épais. Découpe.

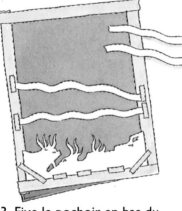

3. Fixe le pochoir en bas du classeur. Ajoute quelques lignes ondulées découpées dans du papier épais.

4. Dans la soucoupe, dilue de la peinture acrylique avec un peu d'eau, jusqu'à ce qu'elle ait une consistance de crème fluide.

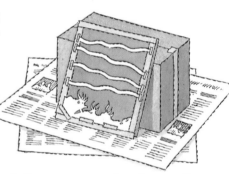

5. Recouvre ton plan de travail de papier journal. Pose le classeur contre une boîte, en l'inclinant.

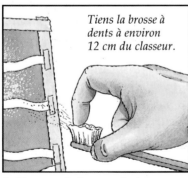

Tiens la brosse à dents à environ 12 cm du classeur.

6. Trempe la brosse à dents dans la peinture. Passe ton ongle sur les poils pour faire gicler la peinture.

7. Laisse sécher, puis ajoute une autre couleur si tu veux. Enlève le cache adhésif et le pochoir quand tout est sec.

8. Reporte le poisson de la page 32 sur du carton à pochoir. Découpe. Fixe sur le classeur et peins avec un pochon.

Tu peux personnaliser ainsi des objets en carton et en plastique avec le dessin de ton choix.

Selon la taille du sac, tu devras peut-être tracer le fond marin plusieurs fois.

Motif du sac

Il te faut : les mêmes fournitures que pour le classeur, un sac, du plastique adhésif transparent, une éponge, de l'essuie-tout.

Sers-toi de plastique adhésif pour tous les pochoirs de ce sac.

1. Reporte les modèles du pochoir au verso du plastique adhésif. Découpe au cutter avec soin.

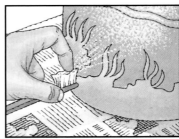

2. Colle le plastique adhésif sur la base du sac. Peins avec des éclaboussures de peinture, comme pour le classeur.

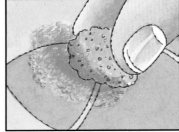

3. Peins des poissons entre les lignes, en utilisant une éponge comme pochon. Décolle le plastique du sac une fois sec.

Autres projets et idées de cadeaux

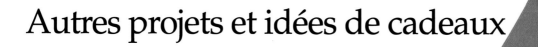

Tu peux personnaliser et décorer au pochoir beaucoup de cadeaux pour les rendre plus originaux, en créant même tes propres motifs (voir pages 16 et 17). Avant de commencer, vérifie que ton dessin tient sur l'objet. Sers-toi de la peinture appropriée pour le support choisi. La peinture acrylique convient pour la plupart des surfaces, y compris le tissu, le bois et le papier.

Pots en argile

Pour décorer un pot en argile, suis les conseils de la page 8, mais sers-toi de peinture acrylique. Elle devient étanche à l'eau en séchant.

Le modèle du poisson est en page 32, la libellule en page 23 et la fleur en page 11.

Procure-toi un cerf-volant de couleur vive dans un magasin de jouets.

Cerf-volant

Découpe un pochoir dans du carton et peins-le avec de la peinture acrylique, avec une éponge ou un pochon. Soulève le pochoir quand le motif est sec et recommence à un autre endroit.

Tapis à souris

Achète un tapis à souris non décoré et crée ton propre motif pour l'embellir (voir page 16). Découpe un pochoir dans du carton et peins à la peinture acrylique, avec une éponge ou un pochon.

Le coquillage et l'étoile de mer se trouvent en page 22.

Papier à lettres

Achète du papier à lettres et des enveloppes. Fixe un carton à pochoir au même endroit sur chaque feuille de papier. Peins au pochon, en choisissant une couleur qui ressort bien.

Boîtes de rangement

Les surfaces en plastique peuvent être décorées avec de la peinture acrylique. Découpe ton pochoir dans du carton ou du plastique adhésif. Applique la peinture avec une éponge.

Le modèle de la tortue est en page 11, le coquillage en page 22.

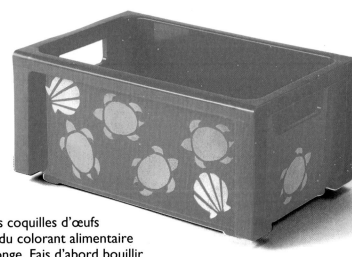

Œufs

Décore les coquilles d'œufs durs avec du colorant alimentaire et une éponge. Fais d'abord bouillir les œufs. Laisse refroidir. Découpe le pochoir dans du plastique adhésif.

D'autres petits modèles se trouvent aux pages 11 et 23.

Cadre photo

Tu peux décorer un cadre photo avec une frise de petits motifs colorés. Découpe un pochoir dans du carton et applique de la peinture acrylique avec une éponge.

Le modèle de l'étoile est en page 31.

Casquette

Fabrique un petit pochoir dans du plastique adhésif. Applique sur la casquette et peins au pochon avec de la peinture acrylique. Pour te faciliter la tâche, pose la casquette sur un bol retourné.

Bougies

Il te faut : de la peinture à l'eau, comme de l'acrylique (n'utilise pas de peinture à l'huile), une bougie, du cache adhésif, une petite éponge, du carton à pochoir, un cutter, de l'essuie-tout, du papier calque, du papier carbone, une soucoupe, un crayon.

Modèle de sapin

Bougie rayée

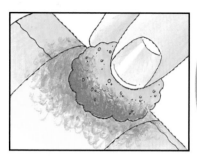

Les rayures peuvent être d'épaisseurs différentes.

1. Enroule des bandes de cache adhésif autour de la bougie. Les espaces entre les bandes sont ceux que tu vas peindre. Verse de la peinture dans la soucoupe.

2. Presse l'éponge dans la peinture, puis sur de l'essuie-tout. Peins les espaces vides. Laisse sécher, puis repasse une couche. Enlève le cache adhésif.

Bougie au sapin

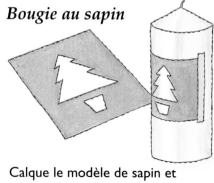

Calque le modèle de sapin et reporte-le sur le carton à pochoir avec le carbone. Découpe et fixe sur la bougie avec du cache adhésif. Peins avec une éponge.

Tu peux décorer des bougies avec n'importe quel petit pochoir (voir pages 11, 28, 29 et 31).

Suis les instructions de gauche pour ajouter une rayure en haut et en bas de la bougie.

Modèles

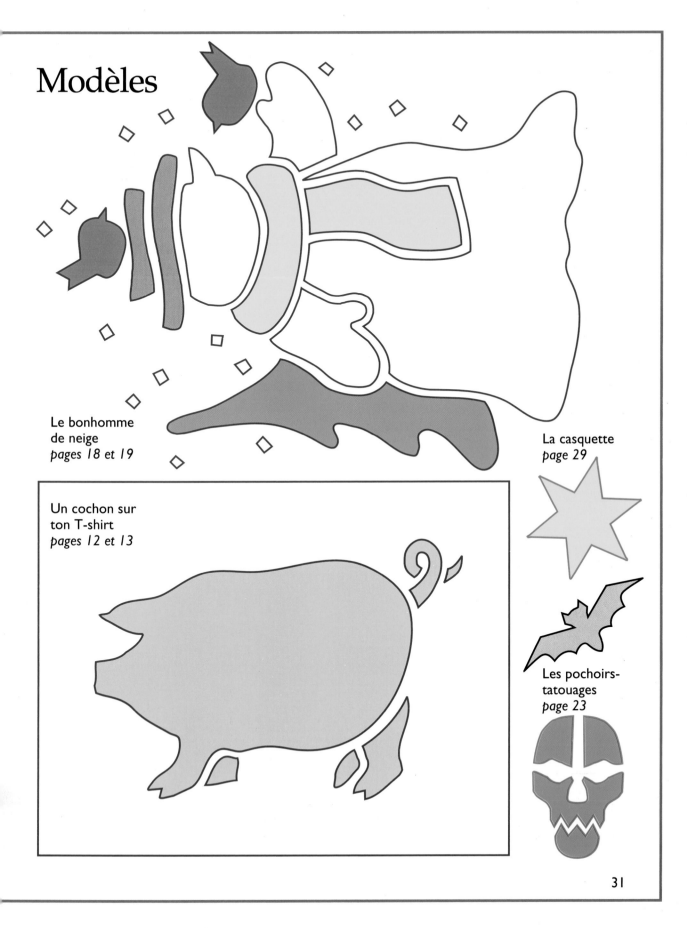

Le bonhomme
de neige
pages 18 et 19

La casquette
page 29

Un cochon sur
ton T-shirt
pages 12 et 13

Les pochoirs-
tatouages
page 23

Le fond marin
pages 26 et 27

La lune et
les étoiles
pages 6 et 7

Le chat et
la souris
pages 24 et 25